Deux familles pour Lulu

Agnès Lacor

Deux familles
pour Lulu

Estampille
bayard jeunesse

Agnès Lacor, née en 1960, est mère de deux enfants et vit à Paris. Elle a été costumière pour le cinéma, puis a travaillé à Mexico dans une maison de production de films avant de rentrer en France où elle travaille actuellement pour le cinéma d'animation. Elle est auteur de romans adultes et de livres jeunesse.

Illustration de couverture : Frédéric Rébéna

© 2014, Bayard Éditions pour la traduction française
18, rue Barbès, 92128 Montrouge
ISBN : 978-2-7470-4772-2
Dépôt légal : février 2014

1

Le ciel est vert, et je déteste le vert. On dirait l'immonde soupe de brocolis de Mme Grandet. Alors forcément, c'est une mauvaise journée.

Une femme ouvre la porte, et je n'ai pas assez de mes deux yeux pour la regarder d'un seul coup : cent kilos ! Elle doit peser au moins cent kilos ! C'est une énorme masse de chair cachée sous une robe difforme, bleu et mauve avec des petites fleurs jaunes. Une odeur de chou entre en force dans mes narines ; j'en ai un haut-le-cœur.

– C'est le nouveau ? demande-t-elle sans un bonjour en pointant son triple menton vers moi.

Et là, avant même d'entrer, je sais qu'il va encore falloir que je trouve un truc... Un truc pour me tirer d'ici, vite fait !

– Bonjour, madame Fournier. Oui, c'est le nouveau. Je vous présente Lulu.

C'est le monsieur des affaires sociales qui vient de parler, M. Cancrat. Moi, je l'appelle le Cancrelat. Il est minuscule, à peine un mètre cinquante-cinq, maigrichon, avec une petite moustache qui dessine un trait horizontal sous son grand nez. Il a plein de poils qui sortent de sa chemise et il transpire tout le temps.

– C'est pas un prénom ça ! dit-elle en plantant ses poings sur les hanches et en me toisant du haut de sa montagne de graisse.

– Ben si, madame Fournier, Lulu, c'est le sien, répond-il en haussant les épaules.

– Bon, restez pas là, entrez, entrez. Mais d'abord on essuie ses pieds sur le paillasson.

On essuie donc nos pieds, et on entre. On suit la grosse dame Fournier jusqu'au salon. Partout où je pose les yeux, des couleurs criardes me sautent à la figure. Il y a un canapé à fleurs, de grosses fleurs orange et rouge envahies de feuilles vertes. Les fauteuils sont pareils, et c'est le même tissu pour les rideaux. D'immenses fleurs en plastique de toutes les couleurs débordent d'un vase bleu et jaune. Et sur le tapis, encore des dessins de fleurs. Ces fleurs partout, plus cette odeur de chou, ça me donne mal au cœur.

Je suis debout, au milieu de la pièce avec ma petite valise. Elle me regarde de la tête aux pieds : on dirait qu'elle vérifie une marchandise qu'on vient de lui livrer. Ce qui est un peu le cas : dix ans, un mètre quarante pour trente-deux kilos. Elle m'examine, me tourne autour, l'air pas trop satisfaite.

– C'est tout ce que t'as comme affaires ? me demande-t-elle en montrant ma valise.

Je fais oui de la tête.

– T'as perdu ta langue ?

Je fais non de la tête.

– Pas causant celui-là, marmonne-t-elle avec une moue de mécontentement.

– Un peu timide, peut-être, dit le cancrelat.

– Mouais...

– Il n'a pas grand-chose, ajoute-t-il. Son départ a été un peu... comment dire... précipité. On lui a trouvé une tenue de rechange cette semaine à la Croix-Rouge. Faudra le rhabiller, madame Fournier. On vous a versé un petit supplément à cet effet sur le chèque de ce mois-ci.

– Mouais... On va s'en occuper. J'ai des choses ici qui devraient faire l'affaire en attendant...

Je sens que je ne tiendrai pas longtemps dans cette baraque. J'ai mis un an avant de trouver un moyen pour que les Grandet se débarrassent de moi. Qu'est-ce que je vais bien pouvoir faire cette fois ? La tête de Mme Grandet quand elle est rentrée et qu'elle a découvert ses vêtements adorés et ceux de son mari, massacrés à coups de ciseaux ! Aussitôt elle a appelé Mme Croset, la dame des affaires sociales qui s'occupait de mon cas, pour qu'on vienne me chercher.

« TOUT DE SUITE ! » hurlait-elle dans le téléphone. Le soir même j'étais dans un foyer à me demander pourquoi je n'avais pas eu cette brillante idée plus tôt, parce que ces Grandet, c'est la pire famille d'accueil que j'ai jamais eue.

— Bon, madame Fournier, je ne peux pas m'éterniser, s'impatiente le Cancrelat en s'épongeant le front avec un vieux Kleenex dégoûtant. Faudrait me signer les documents.

Il sort un tas de feuilles de sa sacoche et les lui donne.

— Vous signez là, là et là, et tout sera en règle.

– Mouais, marmonne-t-elle encore en prenant les papiers.

Moi, je suis toujours debout au milieu du salon avec ma petite valise. Je rêve d'un miracle : un coup de baguette magique et hop ! je serais propulsé dans une famille d'accueil idéale. Sauf que de toute ma vie pourrie, des miracles, je n'en ai jamais vu.

Elle signe les papiers et les rend au Cancrelat. Il a l'air sacrément content que ce soit terminé, il n'a plus qu'à partir et à me laisser dans cette odeur de chou au milieu de toutes ces fleurs.

– C'est parfait, madame Fournier, conclut-il avec un sourire plein de dents jaunes. Je vous rappelle que vous avez rendez-vous avec le direc-teur de l'école de Lulu à seize heures. Il ne faut pas le rater, c'est important !

– Mouais, je sais, je sais. C'est noté là-dedans, fait-elle en pointant son index boudiné vers sa tête.

– Puisque tout est en règle, je vais y aller, dit-il. Je vous souhaite bien des choses.

Il se tourne vers moi et me tend une main moite.

– Au revoir, Lulu. Je reviens la semaine prochaine pour voir si tout se passe bien. Sois sage, hein ! Et pas de ciseaux, cette fois ! Sinon, c'est à l'Assistance publique qu'on va t'envoyer ! Au revoir, madame Fournier.

Il part et me plante là.

Je regarde la robe de la dame Fournier, elle est vraiment moche ! Je lui rendrais un grand service si je la taillais en petits morceaux...

2

– Mon petit nom, c'est Monique. Viens, je vais te montrer ta chambre.

Je prends ma valise toute légère et je suis la dame Fournier qui monte les marches comme si elle escaladait une montagne. À l'étage, je découvre un long couloir dont les murs sont recouverts d'un horrible papier peint avec des losanges vert et marron. Elle m'emmène jusqu'au bout de ce tunnel sombre et ouvre une porte.

– Voilà! On y est! fait-elle tout essoufflée.

Il y a deux lits superposés, une armoire et un grand bureau avec deux chaises. Aux fenêtres, les rideaux sont imprimés avec des dessins de nounours bleus et de lapins jaunes. J'espère que je ne vais pas être obligé de partager ma chambre avec un petit de trois ou quatre ans!

– Tu dormiras là, m'annonce-t-elle en me désignant le lit du bas. En haut, c'est Antoine. Tu le verras tout à l'heure, quand il rentrera du collège. Ça fait bientôt deux ans qu'il vit chez moi.

Qu'est-ce qu'elle a dit, là? Deux ans! Comment peut-on vivre dans un endroit pareil pendant deux ans! Le double du temps que j'ai passé dans la famille Grandet! Je suis catapulté dans un cauchemar! L'immonde odeur de chou monte jusque dans la chambre et me rentre à l'intérieur par tous les pores de ma peau. Est-ce que ça va puer comme ça tous les jours?

Elle ouvre l'armoire. Il y a deux étagères vides.

– Tu as de la place pour tes vêtements. J'aime bien l'ordre. Je ne veux pas voir des trucs traîner. Chez moi, on fait son lit, on range ses affaires et on se débarbouille la figure avant le petit-déjeuner. D'accord ?

Je hoche la tête.

– T'es vraiment pas causant, toi ! Remarque, ça ne me dérange pas, je préfère les taiseux que les bavards. Bon, pose ta valise, tu feras ça tout à l'heure. Je vais te faire visiter la maison.

J'aimerais connaître l'âge de mon futur camarade de chambre, mais je n'ose pas lui poser des questions. Une chose est sûre au moins : ce n'est pas un petit puisqu'elle a parlé de collège. Moi, je suis en CM2.

– Voici la chambre des filles, annonce-t-elle en ouvrant une autre porte. Elles s'appellent Amélie et Caroline. Tu les verras aussi tout à l'heure. Pour le moment, elles sont à l'école, évidemment !

Deux familles pour Lulu

La dame Fournier marche devant moi dans le long couloir. Je suis fasciné par sa démarche : éléphantesque !

– Voilà la salle de bains. La douche, c'est un soir sur deux. Un soir les filles, le lendemain les garçons. On ne fait pas couler l'eau chaude pendant des heures, et on range sa serviette dans sa chambre, sinon il y en a trop dans la salle de bains, et c'est la pagaille. D'accord ?

J'acquiesce en silence pendant qu'elle s'avance vers une autre pièce qu'elle laisse fermée.

– Ma chambre ! claironne-t-elle devant la porte close. Territoire privé, et défense d'entrer ! OK ?

Je fais signe que oui.

– Tu as mangé ?

Je fais signe que non.

– Tout de même, ce monsieur Cancrat, il aurait pu te faire déjeuner avant de t'emmener chez moi. Il est plus d'une heure de l'après-midi ! Bon, ben je vais te donner quelque chose et après tu iras ranger tes affaires.

Je hoche la tête.

— Bon sang, ça ne t'arrive jamais de répondre avec ta langue ?!

Je ne compte plus les familles où on m'a placé. J'ai de l'expérience, je sais qu'il vaut toujours mieux partir sur de bonnes bases. Alors, même si je n'ai pas l'intention de faire de vieux os chez cette grosse chouette, je fais un effort :

— Oui, madame.

— Monique. Tu peux m'appeler Monique.

— Oui, madame Monique.

— Non. Monique tout court. Ici les gamins m'appellent par mon petit nom. Je préfère. Bon, suis-moi à la cuisine. Je vais te donner à manger.

J'ai un paquet d'heures à attendre que les autres enfants reviennent de l'école ou du collège. J'ai hâte de voir à quoi ils ressemblent et de connaître leur âge. Qu'est-ce que je vais faire d'ici là ? J'imagine mal un tête-à-tête avec la dame Fournier.

— Assieds-toi, dit-elle en me désignant la grande table qui trône au milieu de la cuisine.

Dès que je suis installé, elle pose une assiette et des couverts devant moi. Puis, avec une louche, elle fouille dans une marmite qui chauffe à petit feu sur la cuisinière. Elle en sort des légumes fumants qui ne me font pas envie : des navets, des pommes de terre, des poireaux, des carottes et des choux de Bruxelles. Berk !

— Ben quoi ? T'en fais une tête ! Ça ne te plaît pas ? s'exclame-t-elle en rajoutant une tranche de jambon sur mes légumes.

— Si si, dis-je en contemplant le potager qui nage dans un bouillon couleur eau de vaisselle.

J'attaque mon plat sans enthousiasme.

— J'aime mieux ça, parce que je n'aime pas les difficiles. Ce n'est pas un restaurant trois étoiles, ici. Et avec le chèque que je touche chaque mois, je ne peux pas vous faire de la gastronomie, moi. Bon ben, je te laisse manger, c'est l'heure de mon feuilleton à la télé.

Le nez dans mon assiette, je pousse un soupir. Un soupir qui vient du fond de moi. Une fois de plus tous mes espoirs tombent à l'eau. La famille idéale, j'en ai si souvent rêvé ! Je peux presque la voir tellement je l'ai imaginée. Le père, grand et fort, qui jouerait au basket avec moi et m'emmènerait camper ; il m'apprendrait le nom des planètes et des étoiles, car il serait super calé en astronomie. J'adore les planètes et les étoiles ! La mère, elle ferait les meilleurs éclairs au chocolat du monde ; elle me prendrait dans ses bras quand je suis triste ; elle serait docteur et elle sauverait des enfants gravement malades. J'aurais une grande sœur, très belle, qui m'accompagnerait au cinéma, et un petit frère que je protégerais et à qui je donnerais des conseils. Et surtout, ils m'aimeraient tout le temps, même quand je fais des bêtises ou que je suis de mauvaise humeur.

Mais je ne suis pas bête. Dans la vie ce n'est pas comme ça.

En tout cas, pas pour moi.

J'en suis loin de mes rêves, et ils s'éloignent de plus en plus !

Parfois j'imagine que je colle des affiches dans toute la ville. Il y aurait écrit en gros : *AVIS DE RECHERCHE*. Et juste en dessous de ma photo, un texte qui dirait : *Lulu, dix ans, cherche famille idéale avec parents sympas ; frères et sœurs de préférence*. Les gens voudraient tellement m'adopter qu'on m'appellerait de partout et je n'aurais plus qu'à choisir la famille que je préfère !

Faut que j'arrête avec les rêves.

En vrai, la dame Fournier est vert foncé, comme le ciel pourri de cette journée pourrie...

Je vois toujours des couleurs partout. La famille de mes rêves, elle serait gris-bleu comme les yeux de ma mère. C'est une couleur douce qui me fait du bien.

Finalement, je mange tout ce qu'il y a dans mon assiette car j'ai très faim. Ce n'est pas aussi mauvais que ça en avait l'air. Ensuite, je mets l'assiette et les couverts dans le lave-vaisselle, j'essuie la table avec une éponge, histoire de faire bonne impression – Tiens! je me demande si la dame Fournier est au courant de ce que j'ai fait chez les Grandet... –, et je monte dans ma nouvelle chambre.

À part le bruit de la télévision qui provient du salon, la maison est silencieuse, vide. Vivement que les autres enfants arrivent! J'espère que je vais bien les aimer... Et moi, est-ce que je vais leur plaire?

Dès que j'ai rangé mes vêtements dans l'armoire – c'est rapide! –, je fouille dans les affaires de l'autre garçon. Je cherche des indices, n'importe quoi qui pourrait me renseigner sur lui. Mais il n'y a pas grand-chose, à part des livres de classe posés sur le bureau. Ce sont des livres de troisième, ça veut dire qu'il a treize ou quatorze ans. J'aurais préféré un garçon de mon âge, parce que les grands ne sont pas toujours très gentils. Ah ! si ce garçon pouvait être bleu ! ou rouge, un rouge vermillon, joyeux !

Il n'est même pas quatorze heures ! Cet après-midi va être interminable... Je m'allonge sur mon nouveau lit et je ferme les yeux.

3

– Lulu, Lulu ! Debout ! C'est l'heure du rendez-vous avec le directeur de l'école !

Je me réveille en sursaut. J'ai l'impression que la dame Fournier me hurle dans les oreilles.

– Dépêche-toi, on n'est pas en avance. Faut bien compter un quart d'heure à pied pour y aller !

Je regarde ma montre : quatre heures moins vingt. Vite, je me lève.

La nouvelle école ! Encore une ! Encore des nouvelles têtes ! J'en ai assez de changer tout le temps d'endroit, mais là, je ne peux pas trop râler. Après tout c'est moi qui ai voulu partir de chez les Grandet. Et pour rien au monde j'y retournerais.

Cinq minutes plus tard, me voilà dans la rue avec la dame Fournier. Elle s'est mise sur son trente et un : c'est une catastrophe sur pattes ! Elle porte un tailleur rose saumon avec un tas de bijoux plus clinquants les uns que les autres. En plus, elle a confondu sa figure avec une boîte de peinture. La honte ! Pourvu que les enfants de l'école ne me voient pas avec elle ! Heureusement, quand on arrive, la classe n'est pas terminée et les couloirs sont déserts.

À quatre heures tapantes, la dame Fournier frappe au bureau du directeur. Le sosie du professeur Tournesol nous ouvre la porte.

– Bonjour madame Fournier, bonjour Lulu. Je vous attendais... Entrez, installez-vous.

– Nous nous asseyons face à son bureau sur lequel je repère tout de suite mon dossier. Aïe ! Il a dû être déçu, je suis loin d'être un élève modèle. Je m'attends au pire !

Le directeur s'assied dans son fauteuil et ouvre mon dossier. Il le feuillette pendant une éternité, avant de lever les yeux sur moi. J'ai une boule dans le ventre. Il n'a pas l'air méchant, mais je suis prudent. J'ai appris à ne pas me fier à l'air des gens.

– Il va falloir faire des progrès, mon garçon, finit-il par dire en me regardant par-dessus ses petites lunettes rondes. C'est insuffisant dans l'ensemble. Si tu ne progresses pas, tu risques de redoubler. Ce serait dommage, tu ne trouves pas ?

Je fais oui de la tête.

– Ce n'est pas facile de changer d'école en cours de route, j'en suis conscient. Mais sache que si tu fais des efforts, si tu y mets du tien, tu peux encore réussir ton année. C'est ce que tu souhaites, n'est-ce pas ?

Je fais oui de la tête.

– Réponds, Lulu, quand monsieur le directeur te parle, me sermonne la dame Fournier en me donnant un coup de coude.

Elle m'énerve ! Ce n'est pas ma mère !

– Oui, monsieur le directeur.

– Tu seras dans la classe de Mlle Berthier, m'annonce-t-il. Tu verras, elle est gentille.

« Tu verras, ils sont gentils », c'est ce qu'on m'avait dit avant que j'arrive chez les Grandet...

Le professeur Tournesol me fait un grand blabla comme quoi l'école c'est important pour mon avenir, mais je l'écoute à peine. Je ne pense qu'à une chose : c'est bientôt la fin des classes et, à tous les coups, les élèves vont sortir en même temps que nous et me verront avec l'hippopotame rose maquillé et décoré en sapin de Noël !

À quatre heures vingt, nous quittons le bureau du directeur. Je fonce aussitôt dans le couloir pour atteindre la sortie le plus vite possible.

Deux familles pour Lulu

– Lulu ! me crie la dame Fournier en essayant de me suivre. Pas la peine de te presser comme ça ! On doit attendre Amélie et Caroline pour rentrer tous ensemble !

C'est fichu ! Je vais me taper la honte devant toute l'école...

Quatre heures et demie, la cloche sonne. Les enfants commencent à sortir. Je suis sur le trottoir en face de l'école, à côté de la dame Fournier. Mine de rien, je m'en écarte et prends l'air de celui qui ne la connaît pas. Je guette toutes les filles qui déboulent sur le trottoir. Lesquelles sont Amélie et Caroline ? Je ne sais même pas quel âge elles ont !

Maintenant, c'est la cohue, il y a des enfants partout dans la rue. Tous ces nouveaux visages me donnent le tournis. Dire que demain, je serai parmi eux ! Rien que d'y penser, j'ai ma boule dans le ventre qui revient...

Deux familles pour Lulu

Une fille de huit ou neuf ans se dirige vers nous en traînant son cartable à roulette rose Barbie. Avec ses nœuds dans les cheveux et sa jupe à volants, on dirait une bêcheuse. Juste au moment où j'étais sûr qu'elle allait nous rejoindre, elle nous contourne et se jette dans les bras d'une mamie qui est derrière nous.

– Ah! les voilà! s'exclame soudain la dame Fournier. Hou hou! On est là! appelle-t-elle avec de grands gestes au milieu de la foule d'enfants qui a envahi le trottoir.

Je remarque alors deux filles qui viennent vers nous, le sourire aux lèvres. La plus grande a à peu près mon âge, et l'autre doit avoir sept ou huit ans. Elles se précipitent pour embrasser la dame Fournier.

– Je vous présente Lulu. Il est arrivé à la maison ce matin, leur dit-elle. Lulu, voici Amélie et Caroline.

– Salut, Lulu, fait Amélie, la plus petite. Tu vas rester avec nous?

– Euh... oui...

Elle est blonde, plutôt mignonne, avec un air coquin. Elle est jaune clair. Caroline, elle, n'est pas spécialement jolie, mais elle me plaît tout de suite avec son pantalon trop grand, son immense sweet-shirt, ses cheveux courts et sa mèche qui dégringole sur ses yeux. Elle est rouge. C'est une couleur vivante, j'aime beaucoup. Tout de suite, ça me remonte un peu le moral de les voir toutes les deux.

La dame Fournier marche devant en tenant la main d'Amélie. Caroline et moi nous les suivons.

– Alors c'est toi, le nouveau ? me demande Caroline.

– Ouais.

– C'est ton vrai nom, Lulu ?

– Je n'en ai pas d'autre.

Lulu, c'est bien une idée de ma mère. Elle a toujours des idées pas comme tout le monde.

– Tu as quel âge ? poursuit-elle.

— Dix ans. Et toi?

— Onze. J'ai redoublé...

— Tu n'aimes pas l'école?

— Bof, ça dépend.

Elle hésite un peu, puis:

— Tu as des parents?

— Y'a ma mère.

— Et ton père?

Je commence à la trouver trop curieuse, mais je lui réponds quand même:

— Je n'ai jamais eu de père.

— Tu as de la chance.

— Pourquoi?

— Parce que moi, j'aurais préféré ne jamais en avoir.

J'aimerais lui demander pourquoi elle dit ça, mais je me tais. S'il y a une chose que j'ai apprise avec tous les enfants que j'ai connus dans mes autres familles d'accueil, c'est qu'il faut éviter de parler des parents.

Deux familles pour Lulu

On continue de marcher sans dire un mot. On se regarde juste de temps en temps, histoire de s'observer un peu.

4

Une fois à la maison, la dame Fournier nous dit de nous laver les mains et de nous asseoir autour de la table de la cuisine. Elle nous donne à chacun un morceau de pain et quatre carrés de chocolat. Le pain est délicieux, avec une mie moelleuse comme j'aime. Ça fait longtemps que je n'en ai pas mangé d'aussi bon. Pendant qu'on goûte, la dame Fournier épluche des pommes. Elle est assise à côté de nous ; je la regarde, et je me demande si elle aurait été moins moche avec quarante kilos de moins. Difficile à imaginer.

Soudain la porte d'entrée se referme brutalement. Blam !

– Antoine ! crie la dame Fournier. Je t'ai déjà dit cent fois de ne pas claquer cette porte ! C'est un monde, tout de même !

– Ouais, ouais ! répond-il depuis l'entrée.

– Faut tout lui répéter cent fois à celui-là ! bougonne-t-elle.

Au même moment, il entre dans la cuisine.

– Salut tout le monde ! claironne-t-il.

Il me voit et il lance :

– Tiens, c'est le nouveau ! Comment tu t'appelles ?

– Lulu.

– Bienvenu, Lulu.

Pour une fois qu'on ne me fait pas de remarque sur mon prénom, je suis content. Et c'est gentil de me souhaiter la bienvenue. Ça se pourrait bien qu'Antoine soit très bleu.

Deux familles pour Lulu

C'est un grand garçon de quatorze ou quinze ans, plutôt maigre. Il se tient un peu voûté. Son pantalon lui descend presque au milieu des fesses et on voit son caleçon qui dépasse.

Il se coupe un morceau de pain, prend du chocolat, et vient s'asseoir avec nous.

– Tes mains, Antoine! le sermonne la dame Fournier.

Il se relève et va vers l'évier se laver les mains avant de se rasseoir.

– Tu viens d'où, Lulu? me demande-t-il.

– J'étais dans une autre famille.

– Tu as fait des bêtises, et ils n'ont plus voulu de toi, c'est ça? dit-il en rigolant.

– Euh... Il y a eu le feu. La maison a brûlé...

Je parle tout bas, très vite, pour que la dame Fournier, qui s'est levée pour aller jeter ses épluchures dans la poubelle du jardin, n'entende pas mon énorme mensonge.

– Mince, alors ! quelle histoire ! Elle était sympa ta famille ?

– Euh...

La dame Fournier vient de se rasseoir, et je n'ose pas répondre devant elle.

– Te fatigue pas, j'ai compris. Nulle, quoi ! tranche Antoine. Ben ici, tu verras, c'est cool. Il suffit que tu ne déranges pas Monique pendant son feuilleton, que tu manges tout ce que tu as dans ton assiette, que tu ne laisses pas traîner tes affaires partout, et que tu ne claques pas les portes. Hein, Monique ?

– Oui, mon grand.

Tout à coup, je me dis que la dame Fournier n'est peut-être pas si verte que ça. Après tout, ce n'est pas parce qu'elle est grosse et pas belle qu'elle doit être verte. Faut voir. N'empêche, je suis un peu rassuré : les autres enfants ont l'air sympas, et ils ne semblent pas malheureux. Je commence à me dire que la journée n'est pas aussi pourrie que je le croyais.

La dame Fournier a fini de couper ses pommes en lamelles, elle nettoie la table, et sort du beurre et de la farine.

– Tu vas faire une tarte ? demande Amélie.

– Ben oui, tu vois bien, ma puce.

– Je peux faire la pâte ?

– Oui, viens donc par ici.

Amélie est toute contente. Elle retrousse ses manches, prête à plonger ses mains dans la farine que la dame Fournier vient de verser sur la table et à laquelle elle ajoute des morceaux de beurre ramolli.

– C'est bon, tu peux y aller, lance-t-elle.

Ravie, Amélie se met aussitôt à mélanger les ingrédients. Caroline est assise juste en face de moi, elle ne dit rien, mais elle n'arrête pas de m'observer. Elle doit se demander si on va devenir copains. Ce genre de question, on se la pose toujours quand il y a un nouveau.

Amélie termine de malaxer la pâte et la dame Fournier l'étale avec un rouleau à pâtisserie.

Ça me fait plaisir de les voir faire. C'est agréable d'être dans une maison où on cuisine des tartes aux pommes; on dirait presque une vraie famille comme dans mes rêves. Sauf que, dans mes rêves, la dame Fournier est jeune et jolie. Et elle a un mari. Ici, je n'ai pas encore entendu parler d'un monsieur Fournier. Soit il est au travail, et il rentre plus tard, soit il n'existe pas. Je ne sais pas ce qui est le mieux. Parce que si c'est pour me retrouver avec un sale type comme M. Grandet, je préfère que la dame Fournier n'ait pas de mari. D'un autre côté, j'aimerais bien une maison avec un homme. J'ai envie de savoir, mais je n'ose pas poser la question.

Une fois que la tarte est dans le four, Antoine, Caroline et Amélie se mettent à leurs devoirs sur la table de la cuisine. Moi, je n'en ai pas, mais je reste à côté d'eux. Je n'ai pas envie d'être tout seul dans mon coin.

– T'es en CM2 aussi ? me demande Caroline.

– Oui.

– Tu travailles bien ?

– Bof. Pas terrible.

– Tu sais dans quelle classe tu seras ?

– Oui. Avec Mlle Berdier, Bernier, je ne sais plus...

– Mlle Berthier ! Super ! Alors on est dans la même classe. Tu verras, elle n'est pas commode, mais au fond elle est gentille. Ce n'est pas une peau de vache comme la mère Tudort que j'ai eue l'année dernière. Tu l'as échappé belle.

Caroline me plaît, je la trouve de plus en plus rouge. Je suis content d'apprendre que je serai avec elle. Ma journée se termine mieux qu'elle n'a commencé. Et puis la tarte aux pommes sent bon.

5

Ce soir, toujours pas de M. Fournier à l'horizon. On passe à table, à huit heures moins le quart pétantes car la dame Fournier ne veut pas rater son feuilleton à la télé.

Après le dîner, on l'aide à ranger la cuisine, puis on monte dans nos chambres. Dès que je suis seul avec Antoine, j'en profite pour lui poser la question qui me turlupine :

– Elle n'est pas mariée, Monique ?

– Si, si, avec Jean-Michel. On l'appelle Jean-Mi.

– Pourquoi il n'est pas là ?

– Il est chauffeur routier. En ce moment il est sur la route. Je crois qu'il rentre demain ou après-demain.

– Il conduit un gros camion ?

– Énorme !

– Et il part loin ?

– Il va souvent en Espagne ou au Portugal.

– Il est sympa ?

– Plutôt, oui. Y'a pas à se plaindre.

Antoine se roule une cigarette avec une habileté que j'admire. Visiblement, il a l'habitude. Ensuite, il ferme la porte de la chambre et ouvre grande la fenêtre.

– Faut pas que Monique sente l'odeur de la clope sinon elle va piquer une crise, lâche-t-il avec un grand sourire. Elle n'est pas méchante, mais il y a des sujets avec lesquels elle ne rigole pas.

Il me fait déjà confiance ! Il ne me considère pas comme un petit qui risque de moucharder.

– Alors, y a eu le feu dans la maison où t'étais avant? me demande-t-il en tirant une grosse bouffée de sa cigarette.

– Euh... ouais.

– C'est dingue! Tu étais là quand c'est arrivé?

– Ouais...

– T'as sauté par la fenêtre?

– Euh... Non, non.

– Et tout a brûlé?

– Presque...

Je ne sais pas ce qui m'a pris de lui raconter une histoire pareille, c'est sorti tout seul. Il est sympa, et je m'en veux un peu...

Je pense que je lui raconterai la vérité un jour, quand je le connaîtrai mieux.

Nicolas et Benjamin, les autres enfants dont s'occupaient les Grandet, étaient à l'école. Moi, j'étais resté à la maison, au fond de mon lit, car j'avais trop de fièvre. Mme Grandet – elle exigeait qu'on l'appelle par son nom de famille – est partie faire ses courses sans oublier de verrouiller ma chambre à double tour ! J'avais l'habitude, elle le faisait chaque fois qu'elle nous laissait seuls. Une fois, ça a duré si longtemps que j'ai dû faire pipi dans une bouteille. Mais le jour où j'étais malade, elle ne savait pas que je m'étais procuré un double de la clé. Dès que j'ai entendu la porte claquer, puis sa voiture démarrer, je suis sorti de la chambre avec une seule idée en tête : me venger et inventer n'importe quoi pour me faire virer de cette famille ! Faut dire que j'étais terriblement en colère : deux jours avant, le dimanche, elle m'avait enfermé pendant des heures dans la cave gelée, avec juste un pot de chambre et rien à manger, parce que j'avais cassé la fenêtre de la cuisine en jouant au ballon dans le jardin. D'ailleurs, c'est là que je suis tombé malade.

Oh ! ce n'était pas la première fois qu'elle me punissait dans la cave, mais c'était la fois de trop ! C'est là que j'ai pensé à faire un massacre dans sa garde-robe. Elle aimait tellement ses vêtements, je ne pouvais pas trouver mieux. On n'imagine pas à quel point c'est long de découper un à un les habits de deux énormes penderies ! Quand elle est rentrée – plus tôt que prévu ! –, j'étais dans sa chambre au beau milieu d'un désastre, pire que dans ses pires cauchemars...

Le soir même, je me suis retrouvé dans un foyer. J'avais les joues en feu, mais j'étais sacrément content de moi !

6

– Debout là-dedans!!!!

Une vraie fanfare, le réveil par la dame Fournier! Vite, Je me lève, je fais mon lit, je m'habille et je vais dans la salle de bains pour me brosser les dents. Quand je reviens dans la chambre, Antoine dort encore. Je le secoue pour le réveiller. Il grommelle, mais ne se lève toujours pas. À ce moment-là, Caroline apparaît.

– T'occupe pas de lui. Il s'y prend toujours à la dernière minute.

– Mais il va être en retard !

– T'inquiète. Il a l'habitude.

Je descends avec elle pour prendre mon petit-déjeuner. La dame Fournier est dans la cuisine, en robe de chambre et en chaussons. Elle paraît encore plus énorme dans cette tenue. Amélie est déjà là, le nez dans son bol.

– Chocolat chaud, céréales et tartines grillées, ça te va ? me demande la dame Fournier.

– Oui, oui.

– Alors assieds-toi. Faut bien manger le matin. Il paraît même que c'est le repas le plus important de la journée.

En général, j'ai bon appétit. Chez les Grandet, j'avais tout le temps faim car on n'avait que de toutes petites parts. Et pas le droit de se resservir. Nous, les enfants, on ne prenait jamais nos repas avec eux. Ils mangeaient beaucoup mieux que nous, j'en suis sûr. Notre dîner était à sept heures, et à huit heures on devait être dans nos chambres avec interdiction de faire le moindre bruit. À huit heures et demie, c'était l'extinction des feux, même en plein été quand il faisait encore jour et qu'on n'avait pas sommeil.

Là, avec ce que j'ai mangé hier et ce que je vois sur la table du petit-déjeuner, je ne risque pas de mourir de faim ! J'engloutis un grand bol de céréales, trois grosses tartines avec du beurre et de la confiture, et mon chocolat.

– C'est bien Lulu, me félicite la dame Fournier. J'aime les enfants qui ont de l'appétit !

À ce moment-là, Antoine arrive dans la cuisine. Quelle tête ! il sort à peine du lit. Sans même s'asseoir, il attrape la tartine que lui a préparée la dame Fournier et ressort aussitôt. Deux minutes après, j'entends la porte d'entrée claquer. Blam !

– Ah ! Celui-là ! bougonne-t-elle.

Mais je sens qu'elle n'est pas fâchée. Elle l'aime bien, même s'il fait claquer les portes et qu'il mange mal au petit-déjeuner.

C'est vrai qu'elle n'est pas belle la dame Fournier, mais je la trouve de moins en moins moche. J'aime bien son sourire.

L'estomac rempli, je prends le chemin de l'école avec Caroline et Amélie. J'ai le trac, mais pas trop, car Caroline sera avec moi. Vingt minutes plus tard, nous arrivons. Notre classe est au rez-de-chaussée, elle donne sur la cour de récréation. Quand nous entrons, les regards se tournent vers moi. J'ai envie de disparaître. Caroline me montre une chaise libre à côté d'une fille, puis elle lui demande d'échanger leur place pour pouvoir rester avec moi. La fille, qui s'appelle Julie, bougonne un peu avant d'accepter. Elles finissent de déménager leurs affaires quand Mlle Berthier monte sur l'estrade.

— Bonjour les enfants, clame-t-elle assez fort pour couvrir le brouhaha qui règne dans la classe. Asseyez-vous ! Silence, s'il vous plaît !

Deux familles pour Lulu

Puis elle attend, les bras croisés, que le calme se fasse. Son regard se pose quelques secondes sur moi et elle me lance un sourire que je lui rends aussitôt.

Je suis nul pour donner les âges : elle doit avoir entre vingt-cinq et trente-cinq ans. Elle est plutôt grande et a des cheveux bouclés, foncés, qui lui descendent jusqu'aux épaules. Ses yeux sont d'un bleu incroyable, presque aussi beaux que ceux de ma mère. Elle a un joli teint avec une peau claire et des joues légèrement roses, pourtant, elle n'a pas l'air d'être maquillée. Elle porte une jupe en jean, des chaussures sans talons, et un tee-shirt bleu qui fait ressortir la couleur de ses yeux. Elle ressemble à la mère de ma famille idéale.

– Bon, dit-elle dès que la classe est calmée, je vous annonce que vous avez un nouveau camarade.

Là, les têtes se tournent vers moi. J'ai l'impression que mes joues deviennent écarlates.

– Vous devez l'accueillir gentiment, poursuit-elle, car ce n'est pas facile d'arriver dans une classe au beau milieu de l'année.

Ensuite, à ma grande stupeur, elle me demande de monter sur l'estrade pour que je me présente. Je me lève, les jambes flageolantes, et je la rejoins. Vingt-cinq paires d'yeux me décortiquent de la tête aux pieds.

– Euh... bonjour... Je m'appelle Lulu Debac, et j'ai dix ans.

Ça ne rate pas : dès que j'ai dit mon prénom, des élèves ricanent bêtement. Mlle Berthier sermonne un dénommé Charles qui a rigolé plus fort que les autres, puis elle me demande :

– Dans quelle école étais-tu avant ?

– En CM2 à l'école du Moulin vert, près du centre commercial qui s'appelle pareil, Moulin vert.

– À présent, dit-elle en s'adressant de nouveau à la classe, vous allez vous lever chacun votre tour et dire votre nom à Lulu.

Dix minutes après, les présentations sont terminées.

– Merci Lulu, conclut Mlle Berthier. Tu peux retourner à ta place.

Je ne me le fais pas répéter deux fois : je retourne m'asseoir à côté de Caroline. J'ai encore les jambes qui tremblent et le cœur qui bat à cent à l'heure.

7

La journée va à toute allure. À la récré, Caroline me présente ses trois meilleurs copains ; ils ont l'air sympa, surtout Benjamin, celui qui porte une casquette. Il a la tête tondue car il a un problème de poux, le pauvre ! Stéphanie est drôlement féminine ; tout le contraire de Caroline qui est plutôt garçon manqué. Elle est jolie ; sa longue tresse blonde lui arrive au bas du dos. Aurélien, c'est un petit roux, un peu grassouillet. Il a plein de taches de rousseur et une figure rigolote. Tous m'avertissent de me méfier de Charles, celui qui s'est moqué le plus fort lorsque j'ai dit mon prénom.

Caroline a raison, Mlle Berthier est réellement gentille. Elle peut se montrer sévère, mais lorsqu'elle gronde un élève, c'est mérité. Sévère, mais juste, comme on dit.

À quatre heures et demie, quand la cloche sonne, je suis soulagé et je n'ai plus le trac comme ce matin.

Avec Caroline, on attend Amélie, puis on rentre chez la dame Fournier.

— Alors, mon grand, comment ça s'est passé à l'école ? me demande-t-elle dès que j'arrive à la maison.

— Bien. La maîtresse est gentille. Je crois que ça ira.

— Formidable ! Maintenant, les enfants, allez vous laver les mains et venez prendre votre goûter dans la cuisine. Ne faites pas trop de bruit car Jean-Mi est rentré tout à l'heure. Il a beaucoup roulé et il fait une sieste.

Je vais enfin découvrir le mari de la dame Fournier.

– Ta maman a appelé, m'annonce-t-elle un peu plus tard en me donnant un morceau de pain frais et du chocolat. Elle vient te chercher dimanche, après le déjeuner, pour passer l'après-midi avec toi.

– Ah bon, d'accord.

Je ne le montre pas, mais je suis fou de joie !

Avec ma mère, c'est toujours la surprise. Elle peut m'appeler trois jours de suite et venir me voir deux week-ends coup sur coup, puis disparaître pendant trois semaines sans donner de nouvelles. Là, je n'en ai pas eu depuis que j'ai quitté les Grandet. À part un petit coup de fil rapide quand j'étais dans le foyer pour me demander si tout allait bien.

Ma mère s'appelle Véronique. Elle a vingt-six ans. Le calcul est simple à faire : puisque j'en ai dix, elle m'a eu à seize ans. Elle a été orpheline très tôt et elle a grandi dans des familles d'accueil, comme moi. Alors elle connaît ! Quand je lui ai raconté ce qui se passait chez les Grandet, elle m'a cru, pas comme cette madame Croset que je déteste. Celle-là, elle gobait tous les mensonges de Mme Grandet avec ses sourires de faux jeton ! De toute façon, j'ai vite arrêté de me plaindre, car la dame des affaires sociales le répétait aux Grandet qui me punissaient aussi sec. Ma mère était de mon côté, mais elle ne pouvait rien faire pour moi...

Même si elle est plutôt comme une grande sœur que je ne vois pas souvent, je suis content qu'elle existe. Elle est tête en l'air, pourtant elle n'oublie jamais mon anniversaire. Elle aurait pu m'abandonner, accoucher sous X comme on dit, mais elle a refusé. Y'en a qui trouvent que c'est égoïste de sa part de ne pas m'avoir abandonné, car si elle l'avait fait, j'aurais pu être adopté et je serais sûrement allé dans une famille normale avec des frères et sœurs. Ça m'aurait plu, c'est vrai, sauf que je ne suis pas d'accord avec eux. La vérité c'est qu'elle m'aime. Elle n'a pas voulu me donner, et c'est ça le plus important.

Deux familles pour Lulu

De temps en temps, elle me répète qu'un jour, je pourrai venir vivre avec elle. Lorsque sa situation s'arrangera et qu'elle trouvera un meilleur boulot, ou si elle épouse un millionnaire, ajoute-t-elle en rigolant. Jusqu'à présent, elle n'a pas eu de chance, ni avec ses boulots ni avec ses amoureux. J'évite d'y penser pour ne pas avoir de faux espoirs. C'est horrible, les faux espoirs.

Ma mère est belle. Elle est très mince, avec un joli visage. J'adore ses grands yeux bleus avec ses longs cils. Ses cheveux mi-longs bruns ont des reflets roux. J'aime me promener dans la rue avec elle, je suis fier. Si elle ne me donne pas de nouvelles pendant longtemps, je lui en veux, c'est vrai. Mais je suis incapable de bouder plus de cinq minutes lorsqu'elle vient me voir enfin. Elle est toujours gaie et son sourire me fait fondre tout de suite.

– Mon petit lapin, ne me fais pas la tête, m'a-t-elle supplié une fois car je n'étais pas content. La vie n'est pas rose tous les jours pour ta maman.

Je préfère ne pas venir quand j'ai le moral dans les chaussettes – Ça, c'est une de ses expressions favorites.

– Mais moi je suis d'accord pour te voir même si tu es triste, lui ai-je répondu.

En tout cas, je suis heureux qu'elle vienne dimanche. J'ai tellement de choses à lui raconter !

8

Après cette première journée d'école, je vais prendre ma douche car c'est le tour des garçons. Une fois en pyjama, je descends à la cuisine pour le dîner. La dame Fournier est devant ses fourneaux et, à mon grand soulagement, ça ne pue pas le chou. Au contraire, il y a une délicieuse odeur.

– Qu'est-ce qu'on mange ce soir, Monique ?

Incroyable ! je l'ai appelée par son prénom !

– Poulet purée.

– Miam ! J'adore !

– Ravie que ça te plaise, mon grand !

Elle passe beaucoup de temps dans sa cuisine à préparer les repas, et elle est contente de voir qu'on se régale. Je ne vais pas rester maigre longtemps. J'ai perdu pas mal de poids chez les Grandet !

Caroline et Amélie arrivent en robe de chambre et commencent à mettre le couvert. Je les aide de mon mieux ; je dois apprendre où sont rangées les affaires. Dès que la table est prête, Monique – tiens, je ne l'appelle plus du tout la dame Fournier ! elle devient vraiment de plus en plus bleue ! – sort le poulet du four, le découpe, et demande à Amélie :

– Monte chercher Antoine et tonton Jean-Mi, et dis-leur qu'on passe à table. Allez, installez-vous, les enfants.

J'ai hâte de voir son mari.

Quand il entre avec Antoine, nous sommes déjà assis autour de la table.

– Bonsoir la compagnie ! lance-t-il en se plaçant en face de moi. Je vois qu'on a un nouveau garnement dans la maison! C'est Lulu, je me trompe? ajoute-t-il en se servant un morceau de poulet et une belle plâtrée de purée.

– Oui.

Il est intimidant avec sa grosse voix. Il est grand et costaud. J'espère que ce n'est pas le genre à filer des torgnoles comme M. Grandet. Il a des yeux verts perçants sous de gros sourcils broussailleux : lorsqu'il me regarde, j'ai l'impression qu'il voit à l'intérieur de moi.

– Alors, qu'est-ce qui s'est passé de beau pendant mon absence à part qu'on a un petit nouveau ?

– J'ai eu 9 sur 10 en calcul! s'écrie Amélie toute contente.

– Bravo, ma princesse !

La discussion devient vite animée. Antoine raconte ses exploits au football et Caroline parle de ma première journée d'école. Hélas! elle n'oublie pas de préciser que je suis devenu rouge comme une tomate au moment où Mlle Berthier m'a fait monter sur l'estrade devant toute la classe. Pour un peu, je vais encore me mettre à rougir.

Jean-Mi a vraiment l'air de s'intéresser à nous. Je ne suis pas habitué à ça. La seule chose qui intéressait les Grandet, c'était nos carnets de notes : ils les examinaient durant d'interminables minutes ; nous étions au supplice. Si nos résultats étaient médiocres, ce qui m'arrivait souvent, nous avions droit aux insultes et aux punitions. Je me suis toujours demandé pourquoi ces gens accueillent des enfants puisqu'ils ne les aiment pas. Monique et Jean-Mi ne ressemblent pas aux parents de mes rêves, mais, eux, au moins, ils ont l'air d'aimer les enfants.

Pendant le dîner, j'observe Amélie, Caroline et Antoine. Ils parlent, ils rigolent et ils s'exclament bruyamment sans qu'on leur demande de se taire ou de faire moins de bruit. Ils semblent très heureux dans cette maison. Je n'aurai pas besoin de découper les robes de Monique en mille morceaux !

9

La semaine s'écoule tranquillement entre l'école et la maison. Plus les jours passent, plus Monique et Jean-Mi deviennent bleus. Jean-Mi ne m'intimide plus avec sa grosse voix et ses yeux très verts, au contraire. Et, si je la regarde bien, Monique n'est pas si moche que ça. Je me régale avec ses plats et elle répète tout le temps que je ne vais pas rester maigrichon longtemps à ce rythme-là ; ce qui lui fait drôlement plaisir.

Deux familles pour Lulu

Le Cancrelat est revenu et Monique ne lui a dit que du bien sur moi. Il a eu l'air surpris, puis il est reparti, satisfait.

À l'école, j'écoute Mlle Berthier sans me mettre à rêver. À l'époque où je vivais chez les Grandet, j'avais toujours la tête ailleurs. Benjamin, Aurélien et Stéphanie, les copains de Caroline, m'ont accepté dans leur bande et on s'amuse beaucoup ensemble. Ils ont eu raison de me prévenir au sujet de Charles. Ce type est bête et méchant. Il traîne avec deux autres garçons qui le suivent partout et rient comme des imbéciles à toutes ses blagues idiotes. Dès le deuxième jour, à la récréation, il est venu m'embêter. Il m'a appelé Lulu la libellule et m'a dit que j'avais un nom de fille. Je lui ai répondu que ça tombait bien, car j'adorais les libellules et que je préférais avoir un nom de fille plutôt que le cerveau d'un mollusque comme lui. Il n'a pas aimé du tout ma remarque; j'ai compris qu'il ne savait même pas ce qu'est un mollusque.

— Tu veux te battre ? m'a-t-il crié en levant ses poings à quelques centimètres de ma figure.

J'ai répondu du tac au tac, sans bouger un sourcil et en le regardant droit dans les yeux :

— Pas de problème.

— Je t'écrase ta tête de limace quand je veux, m'a-t-il lancé en s'éloignant et en entraînant ses deux copains.

— Quel lâche ! s'est exclamé Benjamin. Bravo Lulu ! J'ai comme l'impression qu'il ne va pas revenir tout de suite pour te chercher des crasses !

En rentrant à la maison, Caroline s'empresse de rapporter l'incident à Jean-Mi en insistant sur le fait que je ne me suis pas laissé marcher sur les pieds.

— S'il te fait des ennuis, me dit-il, j'irai le trouver à la sortie de l'école et je lui ferai la tête au carré à ce gamin.

Ça me fait rire. J'imagine Jean-Mi, qui est aussi baraqué que son camion, devant cette mauviette de Charles. Et surtout, ça me fait plaisir, même si je pense que ça ne risque pas d'arriver : pour la première fois, un adulte me propose de prendre ma défense.

Ce soir, je le retrouve dans son garage en train de bricoler sur sa vieille moto. J'aime rester avec lui et le regarder. Il m'explique ce qu'il fait et m'apprend le nom des pièces qu'il répare ou change. Il a l'air de s'y connaître en moto.

— J'en ai fait des kilomètres sur cette moto avec Monique ! me dit-il.

J'essaye d'imaginer Monique sur la moto, mais j'ai du mal. Quoique, dans le salon, j'ai vu des photos d'elle beaucoup plus jeune. Elle était presque mince et elle était plutôt belle. D'ailleurs, je ne l'avais pas reconnue tout de suite.

— Dès que la moto sera réparée, je t'emmènerai faire un tour, me promet-il.

Je suis fou de joie à cette idée ! J'ai toujours rêvé de monter sur une moto ! Mais vu le nombre de pièces détachées qui sont étalées sur une grande toile par terre, Jean-Mi a encore beaucoup de boulot avant qu'elle soit réparée.

10

Il m'est arrivé tellement de choses cette semaine que le temps est passé à toute allure; le dimanche est arrivé vite. J'ai hâte de voir ma mère pour tout lui raconter.

Nous déjeunons sans Caroline car ses parents sont venus la chercher ce matin pour passer la journée avec elle. Elle est partie avec une tête d'enterrement et en traînant les pieds. Heureusement qu'elle ne les voit pas tous les week-ends, parce que ça n'a pas l'air de lui faire plaisir! Amélie est orpheline, elle

a seulement un oncle, une tante et des grands cousins qui viennent parfois lui rendre visite. Quant à
Antoine, c'est mystérieux, je ne sais pas s'il a de la
famille. Il n'en parle jamais et je n'ose pas lui poser
de questions ; je devine que c'est difficile. Dans
toutes les familles d'accueil où j'ai été, les autres
enfants, la plupart du temps, n'aimaient pas parler
de leurs parents s'ils en avaient.

Pour le déjeuner, Monique a fait un soufflé
au fromage comme chaque dimanche car tout le
monde adore ça. C'est la première fois que j'en
mange, c'est délicieux ! Et pour le dessert, nous
avons droit à de la mousse au chocolat. En plus,
on peut en reprendre autant qu'on veut. Miam !
Ça ne fait même pas une semaine que j'habite
chez Monique et Jean-Mi et, déjà, je me sens
un peu chez moi. Ils sont gentils et s'occupent bien
de nous.

Deux familles pour Lulu

J'ai à peine avalé ma dernière cuillerée de mousse au chocolat qu'on sonne à la porte. Je me précipite dans l'entrée. J'ouvre grande la porte, prêt à me jeter dans les bras de ma mère, mais je m'arrête net. Elle n'est pas seule.

– Salut mon lapin! s'exclame-t-elle en me voyant. Je te présente Joseph. Il est venu avec moi car il voulait absolument faire ta connaissance.

Il doit avoir dans les trente ans. Il est blond, ses yeux sont noisette, et il est nettement plus grand que ma mère. Il n'a pas une tête antipathique, mais je ne suis pas content de le voir débarquer avec ma mère. Je voulais l'avoir pour moi tout seul.

– Bonjour Lulu, me dit-il en me tendant la main.

Je serre la main de cet étranger en marmonnant:

– Bonjour.

Méfiant, je l'observe quelques secondes sans rien dire sur le pas de la porte.

– Tu ne nous fais pas entrer, Lulu? demande ma mère. J'aimerais bien rencontrer ta famille d'accueil avant qu'on aille se promener tous les trois. Figure-toi qu'on a de la chance que Joseph ait voulu venir parce que, en plus d'être très sympa, il a une voiture! Grâce à lui, on va aller jusqu'au grand parc, et après, on ira boire un chocolat chaud. Ça te dit?

Je hoche juste la tête, puis je les laisse entrer et je les conduis dans la cuisine où Monique et Jean-Mi finissent de débarrasser la table. Après les présentations, Monique fait plein de compliments sur moi à ma mère. Elle dit que je suis gentil et bien élevé, que je l'aide à la maison, et que j'ai bon appétit. Je devrais être heureux qu'elle raconte tout ça, mais je suis trop contrarié par ce Joseph. Ma mère semble se gonfler d'orgueil, à croire que c'est elle qui m'a élevé et que c'est grâce à elle que je suis ce petit garçon parfait! Elle m'énerve. Je lui en veux tellement d'être venue avec son petit ami – car je suppose que c'est son petit ami! – que tout ce qu'elle fait ou dit m'agace.

Deux familles pour Lulu

Monique tient absolument à leur offrir un café, alors on s'assied tous dans le salon. Ils bavardent entre eux tandis que, moi, je reste dans mon coin.

– Qu'est-ce que vous faites dans la vie ? demande Jean-Mi à ma mère.

– Je suis serveuse dans un restaurant. Je travaille le midi et le soir, surtout. C'est pour ça que pour l'instant je ne peux pas prendre Lulu avec moi.

Il y a deux ans, elle travaillait la journée dans un supermarché et elle était chez elle le soir. Ce n'est pas pour autant que je vivais avec elle. Décidément, elle m'énerve et j'ai de moins en moins envie de passer l'après-midi avec elle et son copain.

– Et vous ? demande encore Jean-Mi à Joseph.

– Je suis mécanicien dans un garage auto.

– Ah oui, où ça ?

– Le garage qui se trouve sur les quais à côté du parc.

– Ah, c'est drôle, car je connais très bien votre patron. C'est un bon ami à moi.

Après avoir répété combien le monde est petit, ils parlent de la pluie et du beau temps jusqu'au moment où Joseph signale qu'il est temps d'y aller si on veut profiter de l'après-midi. Ils se saluent tous, je prends mon blouson, et nous partons.

11

Pour un mécanicien, Joseph a une voiture pourrie. En plus, elle est sale et pue le tabac froid. Je la déteste.

– Alors, mon lapin, tu ne me racontes rien, me reproche ma mère en se tournant vers moi pendant que nous roulons. Comment ça se passe chez M. et Mme Fournier ? Ils m'ont fait une bonne impression !

– Ça va...

– Qu'est-ce que tu dis ? Je n'entends rien. Parle plus fort.

– Je dis, ça va !

– Et ta nouvelle école ?

– Ça va.

– Tu t'es fait des copains ?

– Oui.

– Je ne t'entends vraiment pas. Parle plus fort, mon lapin.

La voiture de Joseph fait un raffut pas possible. Cette vieille bagnole est juste bonne pour la casse.

– J'ai dit oui !

– Ah, c'est bien.

Dix minutes plus tard, Joseph se gare le long du parc.

– Viens là que je t'embrasse ! s'exclame ma mère dès que j'ai claqué la porte de la voiture. Je n'ai pas eu un seul bisou depuis tout à l'heure ! Ça me manque !

Je tends ma joue d'un air maussade et là, elle m'attrape, me soulève et m'embrasse en riant et en me faisant des chatouilles. Impossible de résister à son rire et à sa bonne humeur : j'arrête net de bouder, même si je suis toujours fâché qu'elle soit venue avec son copain. Il faut reconnaître que je suis incapable de faire la tête longtemps. Alors, pendant qu'on se promène dans le parc, je lui raconte toutes les nouvelles choses qui me sont arrivées cette semaine.

– En tout cas, je suis soulagée que tu ne sois plus chez les Grandet, me confie-t-elle. Je reconnais que tu as fait de grosses bêtises et tu dois me jurer de ne plus recommencer, mais en même temps, mon lapin, je te comprends. D'ailleurs, avoue-t-elle songeuse, peut-être qu'à ta place j'aurais fait la même chose...

Je suis tellement content qu'elle me dise ça ! Je me sens beaucoup mieux, tout d'un coup. Ensuite, à son tour, elle me raconte ce qu'elle a fait ces derniers temps. Souvent, au lieu de dire « je », elle dit « nous » pour parler de Joseph et d'elle. Je suis jaloux, car ils passent beaucoup de temps

ensemble. Je me demande depuis quand ça dure...
Et je ne suis pas aveugle : parfois ils se donnent la
main, comme des amoureux !

Soudain, ma mère s'arrête :

– Lulu, faut que je te parle de quelque chose de
très important, déclare-t-elle. Viens, on va s'asseoir,
ajoute-t-elle en me montrant un banc vide.

Une fois que nous sommes installés, elle reprend :

– Joseph et moi, on est ensemble depuis presque
six mois et on veut se marier. On vient de décider
de chercher un appartement avec deux chambres
pour que tu viennes vivre avec nous. Joseph en a
très envie. Voilà, mon lapin, c'est ce que je voulais
te dire...

Je suis sous le choc. Je ne sais pas quoi penser.
Bien sûr, j'en ai souvent rêvé d'habiter avec ma
mère et de ne plus aller dans des familles d'accueil.
Sauf que je ne me vois pas vivre avec cet étranger
et partager ma mère avec lui... Si ça se trouve, il
est aussi horrible que M. Grandet ! Il a beau me

lancer des clins d'œil de temps en temps pour faire copain copain avec moi, je n'ai pas confiance. J'ai appris à être prudent. Des histoires de beaux-pères méchants, j'en ai entendu un paquet. Et puis, je me sens bien avec les Fournier, Antoine, Caroline et Amélie. Ils commencent un peu à être ma famille. C'est la première fois que je suis vraiment bien quelque part...

– Ben, tu ne dis rien Lulu ? Tu n'es pas content ?

– Si, si.

– Dis donc, tu n'as pas l'air !

– Je vais devoir changer d'école ?

– Je ne sais pas. Tout dépend où on trouvera l'appartement, tu comprends ?

– À tous les coups, je vais encore changer d'école. Je connais des enfants qui ont les mêmes copains depuis la maternelle. Moi, j'ai changé d'école tellement de fois, que ça ne risquait pas de m'arriver !

– Alors Lulu, raconte-moi, c'est qui ton meilleur copain ? me demande Joseph.

Je hausse les épaules :

– Je n'ai pas de meilleur copain. Ça fait seulement quatre jours que je suis dans ma nouvelle école.

Je lui ai répondu pas très aimablement. Quelle idée de me poser une question pareille ! Il est bête ou quoi ?

Et puis je repense à ce que ma mère m'a dit tout à l'heure : « Joseph a très envie qu'on vive tous les trois ensemble. » Ce n'est pas possible puisqu'il ne me connaissait pas avant ! Comment peut-on avoir envie de vivre avec un enfant qu'on n'a jamais vu ? C'est forcément un mensonge.

– Je commence à avoir froid, signale ma mère. Et si on allait boire notre chocolat chaud ?

On est début mars. Le soleil nous a réchauffés une partie de l'après-midi, mais il est maintenant caché derrière les arbres.

– Bonne idée ! répond Joseph.

12

On se retrouve dans un bistrot devant un chocolat chaud. Apparemment, Joseph doit être un habitué, car tous les serveurs le saluent et l'appellent par son prénom.

– Le garage où je travaille est juste à côté, m'explique-t-il.

– Tu sais quoi, Lulu ? s'exclame ma mère. Quand on a le temps, le week-end, Joseph m'emmène sur les petites routes de campagne pour m'apprendre à conduire ! C'est chouette, non ? Après quelques leçons avec lui, je saurai me débrouiller. Alors, j'irai prendre des cours dans une auto-école et je passerai mon permis

– Je t'apprendrai à conduire si tu veux, me dit Joseph. Et, si ça t'intéresse, je t'amènerai dans mon garage et je te montrerai comment on répare les voitures. Tu verras, ce sera super de vivre ensemble ! On pourra faire plein de choses que tu n'as jamais faites !

– Comme quoi ? je lui demande, franchement désagréable.

Surpris par mon ton un peu agressif, il bafouille :

– Ben... Je ne sais pas... Plein de choses, quoi...

– Tu verras, insiste ma mère. On s'amusera bien tous les trois. Tu sais, Joseph est un grand blagueur ! Il me fait tout le temps rire !

– C'est prévu pour quand ? je lui demande.

– Quoi donc, mon lapin ?

– Le nouvel appartement.

– C'est trop tôt pour le dire... Mais dans pas longtemps, je suppose.

Raison de plus pour ne pas m'emballer. D'ici là, ma mère aura le temps de changer mille fois d'avis. Elle m'a fait le coup quand j'étais plus petit : je devais vivre avec elle, puis il lui était arrivé je ne sais quelle catastrophe et ça n'avait pas pu se faire. Je n'ai pas oublié. En plus, je ne sais pas quoi penser de ce Joseph. Même s'il a l'air plutôt sympa, je ne peux pas m'empêcher de penser qu'il fait l'effort d'être gentil juste pour plaire à ma mère. Qui me dit qu'il ne sera pas méchant avec moi si on vit tous les jours ensemble !?

On finit nos chocolats chauds, lorsque, soudain, ma mère regarde l'heure et annonce qu'il est temps de me ramener chez Monique et Jean-Mi.

Pendant le chemin du retour, dans la voiture, ils bavardent tous les deux. Moi, je ne dis pas un mot.

Sur le pas de la porte, ma mère me couvre de baisers en me promettant :

– On reviendra très vite te voir. Peut-être dimanche prochain. Je t'appelle.

Donc, elle sera encore avec Joseph. Est-ce qu'un jour, je pourrai la revoir sans lui ? Puis Joseph me dit au revoir en me glissant un billet de cinq euros dans la main.

– Tiens, c'est pour toi, si tu veux t'acheter des bonbons. Content de t'avoir rencontré.

Je le remercie, mais je ne lui réponds pas que je suis content moi aussi de le connaître parce que ce n'est pas vrai, et je rentre vite dans la maison.

13

Monique est en train de préparer le dîner, Amélie regarde un dessin animé à la télé et Jean-Mi est parti boire un verre avec des amis. Je monte dans ma chambre et, en passant devant la chambre des filles, j'entends Caroline pleurer. J'entre dans la pièce sur la pointe des pieds. Elle est allongée sur son lit et sanglote la tête enfoncée dans son oreiller. Je m'approche d'elle et je lui tapote l'épaule :

– Caroline, ça ne va pas ?

– Laisse-moi, Lulu. Je ne veux voir personne !

Je redescends prévenir Monique que Caroline pleure.

– Je sais, mon grand, me répond-elle en soupirant. C'est comme ça chaque fois qu'elle voit ses parents. Il n'y a pas grand-chose à faire. Faut attendre que ça passe. On devrait interdire à certains parents de voir leurs enfants ! Parfois, les juges ou les gens des affaires sociales qui prennent les décisions ne comprennent rien à rien ! Mais dis-moi, Lulu, elle est mignonne comme tout ta maman !

– Oui, oui. Mais elle a un copain...

– C'est bien, ça ! Elle ne peut pas rester seule toute sa vie, surtout à son âge...

Comme je dois faire une drôle de tête, elle ajoute :

– Il n'est pas gentil avec toi son ami ?

– Si, si... Pour l'instant...

– Il a l'air d'être un brave gars. Allez, ne t'en fais pas Lulu !

Je remonte dans ma chambre. Antoine est là, il lit une BD sur son lit.

– Tu sais pourquoi elle pleure, Caroline? je lui demande.

– Son père est un sale type, du genre qui gueule tout le temps et qui frappe sa femme et ses enfants. Tu n'as pas vu sa tête quand ils sont venus la chercher ce matin?

– Vite fait.

– Un type pareil, ça ne devrait pas faire d'enfants! Et sa femme, elle a tellement peur de lui qu'elle ne dit jamais un mot. Quand ils viennent ici, il n'y a que lui qui parle. En plus, il se permet d'être désagréable avec Monique et Jean-Mi. Je les ai déjà entendus s'engueuler plusieurs fois. Et comme Caroline adore Monique et Jean-Mi, c'est horrible pour elle.

– Ça fait combien de temps qu'elle vit ici, Caroline?

– Je ne sais pas exactement. Plus longtemps que moi en tout cas. Peut-être trois ans, quelque chose comme ça.

– Elle est vraiment obligée de voir ses parents ?

– Je crois, oui. Mais quand je suis arrivé, ils n'avaient pas le droit de lui rendre visite et puis ça a changé. Un juge a décidé tout d'un coup qu'elle devait les voir. Et voilà le résultat ! Ce n'est pas malin ! Caroline crève de peur à l'idée que le juge n'ordonne un jour qu'elle aille revivre chez ses parents.

Pauvre Caroline, elle n'a pas de chance. Mais il y a un truc que je ne comprends pas : son père devait certainement être gentil au début, sinon sa mère ne se serait pas mariée avec lui. Je retourne ça dans tous les sens dans ma tête. Plus j'y réfléchis, plus ça me fait une boule dans le ventre. Forcément, je pense à Joseph : qu'est-ce qui va m'arriver si je vis avec lui et qu'il devient aussi horrible que le père de Caroline ? Comment savoir s'il ne va pas changer, lui aussi ?

Pendant le dîner, Caroline ne dit pas un mot. Elle a les yeux rouges, et elle ne touche presque pas à son assiette, ce qui désole Monique. Jean-Mi essaie de la faire sourire en lui racontant des blagues, mais sans succès. J'aimerais lui dire quelque chose pour la consoler, mais je ne vois vraiment pas quoi. Parfois on se sent bête devant le chagrin des autres. Puis Antoine a une super idée :

– Et si on jouait au Monopoly après le dîner ? propose-t-il.

Caroline adore ce jeu.

– D'accord, accepte Monique, mais pas trop tard. Demain, il y a école, et Jean-Mi reprend la route très tôt.

Dès qu'on a fini de manger, on aide tous Monique à vite ranger la cuisine et on sort le Monopoly. Le visage de Caroline s'éclaire au fur et à mesure de la partie. À la fin, on réussit même à la faire rire. Après, on va tous se coucher de bonne humeur. Moi aussi, ça m'a changé les idées.

14

Le lendemain matin, lorsqu'on se lève, Jean-Mi est déjà parti sur la route. J'attaque ma deuxième semaine dans ma nouvelle école et je suis heureux de retrouver Benjamin, Aurélien et Stéphanie. Je pense qu'ils ne sont pas au courant des problèmes de Caroline. Elle n'en parle jamais. Je la comprends, à sa place je ne dirais rien non plus.

Mlle Berthier nous demande de faire une petite rédaction. Le sujet c'est : « Racontez vos meilleures vacances. » J'aurais préféré qu'elle nous demande d'écrire quelque chose sur nos pires vacances. Pour moi, ce serait plus facile. Les rares vacances auxquelles j'ai eu droit jusqu'à présent, je les ai passées dans des colos pas terribles. Et j'ai beau fouiller ma mémoire, je ne vois pas ce que je vais pouvoir écrire.

Je me penche vers Caroline et lui chuchote :

– Tu sais ce que tu vas raconter ?

– Oui. Je vais parler des vacances de l'année dernière, au bord de la mer avec Monique et Jean-Mi.

– Ah bon ? Ils nous emmènent en vacances ?

Je n'en crois pas mes oreilles. En général, les familles d'accueil en profitent pour se débarrasser des enfants dont ils s'occupent.

– Oui. On a fait du camping à Saint-Jean-de-Monts pendant trois semaines. C'était génial ! Ils m'ont inscrite au club de la plage où j'ai rencontré plein de copains. On a fait des jeux et des concours. J'ai même gagné un concours de chant et pour fêter ça, Monique et Jean-Mi m'ont emmenée manger des crêpes ! J'espère qu'on y retournera l'été prochain...

– Caroline et Lulu, cessez vos bavardages, sinon je vous sépare ! intervient Mlle Berthier.

Caroline se met aussitôt à écrire, mais moi, décidemment, je ne sais pas quoi dire. Je réfléchis, je réfléchis, puis, tout à coup, j'ai une idée : l'année dernière, un copain de classe nous a raconté qu'il était parti faire de la plongée sous-marine avec son petit frère et ses parents, très loin, dans je ne sais quel pays. Il avait voyagé des heures et des heures en avion, et il était dans une petite maison sur une plage de sable blanc comme celles que j'ai vues dans un documentaire sur Madagascar à la télé. Il avait même navigué sur un grand voilier. Là-bas, la mer était tellement transparente qu'il voyait drôlement bien les poissons de toutes les couleurs... J'attrape mon stylo plume et je raconte mes vacances à Madagascar. Je mélange les choses que j'ai vues dans le documentaire et ce qu'a vécu ce copain de classe. Je réussis à remplir les deux côtés d'une grande feuille que je donne, fier de moi, à Mlle Berthier.

Le lendemain, elle me rend ma copie avec un grand sourire. J'ai huit sur dix – ma meilleure note depuis longtemps. En haut de ma rédaction, elle a écrit : « belle imagination ». Bien sûr, Mlle Berthier n'est pas bête : elle sait très bien que je vis en famille d'accueil et que je ne suis pas près de partir en vacances à Madagascar avec mes parents et mon petit frère. Ma maîtresse est très très bleue, comme la mer à Madagascar !

15

Plus le temps passe et plus j'aime ma maîtresse. J'écoute en classe et je m'applique pour bien travailler et participer, ce qui est nouveau pour moi. Malgré mon retard et grâce à mes efforts, je finis par récolter de bonnes notes. J'adore entendre Mlle Berthier me féliciter pour mon travail. Mais je m'inquiète à l'idée de devoir encore changer d'école si jamais je dois aller habiter avec ma mère et Joseph. En plus, j'aime beaucoup mes nouveaux amis, je ne veux pas être séparé d'eux. La prochaine fois que je verrai ma mère, je lui dirai tout ça. Mais dimanche dernier, elle n'est pas venue, et elle n'a pas appelé non plus. Je ne sais même pas si je la verrai le week-end prochain! Je suis habitué à ce qu'elle ne donne aucune nouvelle, c'est vrai, mais là, je suis en colère contre elle.

Jean-Mi, qui est rentré à la maison après plusieurs jours sur la route, se rend compte que ça ne va pas.

— Qu'est-ce qui t'arrive mon grand? Tu ne dis pas un mot et tu tires une tête de trois pieds de long...

Je hausse les épaules sans répondre.

— Tu n'es pas obligé, mais parfois ça soulage de cracher le morceau. Et puis, je peux peut-être t'aider...

— Personne ne peut m'aider.

— Je peux quand même essayer. Donne-moi une chance.

Il a raison après tout et, si ça se trouve, il sait ce qui se passe dans la tête des adultes.

– C'est ma mère, je finis par répondre.

Je lui raconte alors qu'elle voudrait que j'aille vivre avec elle et son copain, mais que je n'ai pas envie de quitter ma nouvelle école, ma maîtresse et mes amis. Et ce Joseph, je ne le connais pas ! J'ai tellement peur de découvrir en vivant avec lui que c'est un sale type ! Et pourquoi après m'avoir annoncé cette nouvelle, elle me laisse tomber ? Elle ne m'a même pas téléphoné. Je ne veux pas partir vivre avec ma mère si elle se préoccupe aussi peu de moi.

– C'est chouette si ta mère te prend avec elle ! dit Jean-Mi. Pour ton école et tes copains, il ne faut pas trop t'inquiéter, Lulu. Tu sais, ça ne se fera pas du jour au lendemain. Elle doit passer par la décision du juge. Tu auras tout le temps de finir ton année scolaire chez nous, crois-moi, mon grand. Ça fait un bail que Monique et moi on accueille des enfants chez nous, et on commence à avoir l'habitude de ces choses-là...

Ça me rassure tout de suite. Je ne regrette pas d'avoir parlé à Jean-Mi.

– Et pour ce qui est de ce Joseph, enchaîne-t-il, j'ai une idée. Demain, j'irai voir mon copain Michel, le patron du garage, et je me renseignerai sur lui. T'inquiète pas, mon grand, on saura ce qu'il en est...

Là encore, je me sens rassuré. Mais au sujet de ma mère, je vois bien que Jean-Mi est embêté, il ne sait pas trop quoi me dire.

– Quant à ta mère, si elle ne te donne pas de nouvelles, c'est peut-être qu'elle est très occupée ! Mais toi, tu peux lui téléphoner ! D'ailleurs, c'est normal que tu appelles ta maman aussi souvent que tu le désires.

Je n'en reviens pas. Chez les Grandet, on avait interdiction de toucher au téléphone !

– Non. Ce n'est pas la peine.

– Pourquoi ?

– Je ne sais pas..., dis-je d'une petite voix en haussant les épaules. Si elle ne m'appelle pas, c'est qu'elle n'en a pas envie...

– Peut-être qu'elle n'a pas eu le temps... Bon, c'est comme tu veux, mon grand, ajoute-t-il devant mon regard sceptique.

Plus tard, dans la soirée, alors que je me dirige vers la cuisine pour boire un verre d'eau, je surprends, derrière la porte, des bouts de conversation entre Monique et Jean-Mi. Je comprends tout de suite qu'ils parlent de moi :

– Je vais appeler sa mère, moi, dit Monique. C'est quand même pas normal qu'elle laisse son gosse comme ça, sans nouvelles ! Elle a l'air sympa, mais je la trouve un peu légère !

– Si tu veux mon avis, je pense qu'elle est surtout très jeune, répond Jean-Mi. Tu l'as bien vue, c'est encore une gamine...

– Je ne suis pas d'accord ! Je la trouve assez âgée pour prendre ses responsabilités... Et si elle veut avoir Lulu avec elle, il faudra bien qu'elle s'en occupe ! Un gosse, ce n'est pas comme un chien qu'il faut nourrir une fois par jour ! Alors, si elle n'est même pas capable de lui téléphoner une fois de temps en temps, qu'est-ce que ça donnera quand il sera chez elle ! Ce gamin se retrouvera complètement livré à lui-même ?

Au fond de moi, je me pose la même question et ça me fait peur.

16

Le lendemain à l'école, je remarque qu'Aurélien, qui d'habitude est le premier à rigoler, arrive avec une triste mine. En temps normal, il se fait souvent reprendre par Mlle Berthier car il bavarde trop. Mais aujourd'hui, il reste silencieux toute la matinée et pendant le repas à la cantine où il ne mange presque rien, lui qui est si gourmand.

Tandis que nous sommes autour de la table avec Caroline et Benjamin, je lui demande :

– Ça ne va pas ? Qu'est-ce qui t'arrive ?

– Rien, rien...

– Ben si ! Tu as une drôle de tête depuis ce matin !

Il me regarde, hésite, puis il finit par avouer au bord des larmes, comme s'il avait honte :

– C'est mes parents... Ils vont divorcer.

– Si seulement ça pouvait m'arriver ! s'exclame Caroline.

Je lui donne un coup de pied sous la table pour qu'elle se taise tout de suite.

– Je vais devoir vivre une semaine chez ma mère et une semaine chez mon père, poursuit Aurélien.

– La chance ! Tu auras deux maisons ! s'émerveille Caroline. C'est drôlement...

Je lui redonne un coup de pied qui la stoppe net.

– En plus, ils vont chacun prendre un appartement plus petit. Je vais devoir partager ma chambre avec ma sœur.

Alors là, je le comprends ! Je la connais, sa petite sœur : c'est une sacrée chipie doublée d'un pot de colle ! Plus casse-pieds, ça n'existe pas !

– Ils se disputent beaucoup tes parents ? demande Caroline.

– Oh oui ! Tout le temps, pour n'importe quoi...

– Ben, dis-toi que, comme ça, ils ne se disputeront plus ! affirme Benjamin. Ce sera plus cool pour toi !

On essaie tous les trois de le réconforter et de lui prouver que sa vie sera plus sympa quand ses parents ne seront plus ensemble. Du coup, Aurélien retrouve un peu le sourire. C'est ça les amis ! C'est fait pour rigoler ensemble, mais aussi pour se serrer les coudes en cas de problème. On forme une bonne bande tous les quatre. Je ne veux pas les perdre...

Après l'école, Jean-Mi vient me trouver dans ma chambre.

– J'ai de bonnes nouvelles pour toi, m'annonce-t-il. J'ai parlé au patron de Joseph. Il m'a dit qu'il le connaît depuis quatre ans, que c'est un type bien et

qu'il ne l'imagine pas faire du mal à une mouche.
On n'a pas de soucis à se faire à son sujet. Te voilà
rassuré, mon grand?

– Oui, oui...

– Et il connaît ta maman. Elle vient de temps
en temps au garage. Il trouve qu'ils font un gentil
couple tous les deux!

Antoine arrive à ce moment-là dans la chambre,
alors on cesse de parler de ça, mais je n'arrête pas
d'y penser. J'essaie de nous imaginer, Joseph, ma
mère et moi, vivant ensemble. Comme ma mère
travaille au restaurant tard le soir, je me retrouverai
seul avec Joseph. Est-ce qu'on deviendra amis?
Est-ce que je l'aimerai un jour? Et lui, est-ce qu'il
va m'aimer? J'en ai marre de me poser toutes ces
questions, mais c'est plus fort que moi. Soudain,
Monique m'appelle.

– Lulu! Viens vite! Téléphone pour toi!

Je dévale les escaliers quatre à quatre. Elle me
tend le téléphone en me faisant un beau sourire.

Deux familles pour Lulu

– Allô?

– Salut, mon lapin! C'est maman. Tu vas bien?

– Oui, ça va. J'ai eu 8 sur 10 à ma rédaction!

– Bravo! Je suis fière de toi! Je t'appelle vite fait, car je commence mon service dans quelques minutes. Je voulais te prévenir que, le week-end prochain, les parents de Joseph nous ont invités à venir tous les trois dans leur maison à la campagne. On passera une nuit chez eux et on rentrera dimanche soir. Tu es partant?

– Oh oui! C'est d'accord!

– Je suis contente que ça te plaise, mon lapin. Tu verras, tu vas bien t'amuser car Joseph a des neveux de ton âge. Vous pourrez faire du vélo et puis là-bas, il y a des chiens, des poules, des lapins, et même un poney! On passera te prendre à dix heures samedi matin. OK?

Je raccroche et aussitôt j'annonce à Monique et Jean-Mi que je vais partir en week-end à la campagne.

– Voilà une excellente nouvelle ! s'exclame Jean-Mi. Deux jours ! Ça te laissera du temps pour connaître un peu Joseph !

17

Le reste de la semaine, j'attends le week-end
avec impatience, et en même temps je suis inquiet.
Je suis trop content d'aller à la campagne. Quand
j'étais petit, j'ai passé une journée dans une ferme
avec ma classe et j'ai adoré m'occuper des animaux
et ramasser les œufs. En plus, je vais passer deux
jours avec ma mère ! Ça n'arrive jamais ! Mais j'ai
peur de ne pas plaire à Joseph et à sa famille, ou
à l'inverse, qu'ils ne me plaisent pas. C'est vrai,
si ma mère décide de se marier avec Joseph, je

vais avoir une nouvelle famille ! Est-ce qu'ils vont m'accepter ? Est-ce que je vais les aimer ? Je me pose encore et encore mille questions qui mettent du désordre dans ma tête et me font mal au ventre.

Le samedi arrive enfin ! Jean-Mi me prête son petit sac de voyage, et Monique m'aide à choisir les affaires que je vais emporter. À neuf heures et demie, je suis prêt à partir et je tourne en rond dans le salon où Monique repasse une montagne de linge.

– Assieds-toi donc Lulu ! Tu me donnes le tournis.

À dix heures et demie, ils ne sont toujours pas arrivés. Je ne tiens plus en place. Ils m'ont peut-être oublié ou ils ont décidé de passer ce week-end en amoureux, sans moi ! À onze heures, j'entends enfin le moteur de la voiture de Joseph pétarader. Je me rue à la fenêtre, c'est bien eux ! J'attrape mon blouson et mon sac, j'embrasse vite Monique et Jean-Mi et je cours les rejoindre.

– Bon week-end, Lulu! crient Monique et
Jean-Mi sur le pas de la porte en faisant des grands
signes de la main tandis que la voiture redémarre.

– Prêt pour l'aventure? me demande Joseph tout
en me lançant un clin d'œil dans le rétroviseur.

– Prêt!

Pendant le trajet, qui dure un peu moins de
deux heures, nous rigolons bien tous les trois.
Joseph raconte des blagues qu'il a faites à l'école
il y a longtemps, j'ai beaucoup de succès en leur
lisant ma rédaction sur les vacances car je l'ai
emportée pour la montrer à ma mère tellement je
suis fier de ma note, et on chante même des chan-
sons ensemble. Je n'en reviens pas que ça se passe
si bien. Je pense à ce que le patron de Joseph a dit
à Jean-Mi, et je commence à me dire qu'il a drôlement raison. Et ma mère a l'air si joyeuse! Je ne
me rappelle pas l'avoir vue aussi heureuse.

Au bout d'un moment, on quitte l'autoroute et
on se retrouve sur une petite route qui traverse une

forêt, puis sur un chemin de terre qui se termine devant un portail blanc grand ouvert.

– Nous sommes arrivés ! claironne Joseph tout en donnant des coups de Klaxon et en franchissant le portail.

Il se gare à l'ombre de trois énormes sapins. On descend de voiture, et aussitôt deux chiens accourent vers nous en aboyant et en nous faisant la fête. Ils sont suivis par une petite fille qui doit avoir cinq ou six ans. Elle se jette dans les bras de Joseph.

– Tonton Joseph est arrivé ! Tonton Joseph est arrivé ! crie-t-elle aux personnes qui apparaissent sur le perron de la maison que je découvre au-delà des sapins sous lesquels nous sommes garés.

Deux garçons d'à peu près mon âge viennent alors vers nous sur des vélos.

– Salut les garçons ! leur lance Joseph. Je vous présente Lulu, le fils de Véronique. Lulu, je te présente mes neveux, Arthur et Thomas. Et voici leur petite sœur, Manon, ajoute-t-il en claquant une bise sur la joue de la fillette qu'il porte toujours dans ses bras.

Nous nous saluons, puis ils vont embrasser ma mère. Ils ont l'air de bien la connaître. Je ressens aussitôt une pointe de jalousie : elle a déjà dû passer du temps avec eux, alors que moi je ne la vois pas souvent. Sinon, je suis rassuré en voyant comment Joseph est accueilli par ses neveux. Ils l'aiment beaucoup ; c'est bon signe.

On prend nos sacs dans le coffre de la voiture, puis on se dirige tous ensemble vers la maison. C'est une jolie maison blanche, couverte de feuillages, et entourée de massifs. Devant, il y a une grande pelouse. Nous sommes accueillis par les parents de Joseph – que ses petits-enfants appellent papi Jules et mamie Mado –, par son frère, Christophe, qui lui donne une grande claque dans le dos pour le saluer, et sa femme, Sophie.

– On attendait plus que vous pour passer à table, annonce mamie Mado.

– Ça tombe bien, je meurs de faim! répond Joseph en prenant la main de ma mère et en l'entraînant dans la salle à manger. Tu viens, Lulu? ajoute-t-il à mon intention.

Sur une grande table en bois sont posés dix couverts. Intimidé, j'ose à peine bouger.

– Les enfants, installez-vous en bout de table, dit papi Jules.

Je m'assieds entre Thomas et Arthur.

– Tu viendras avec nous après le déjeuner? me demande Arthur, le plus âgé des deux – il doit avoir dans les douze ans. On va faire une balade à vélo dans la forêt. Il y a un vélo pour toi dans le garage.

– D'accord.

– Moi aussi! s'exclame Manon, leur petite sœur. Je veux venir avec vous!

– T'es trop petite! répond Thomas. Déjà, il faudrait que t'apprennes à faire du vélo sans petites roues!

Le repas est animé. Les adultes parlent et rient beaucoup. J'observe ma mère : elle se sent comme chez elle au milieu de cette famille qui semble l'avoir adoptée. Je suis encore un peu jaloux.

J'apprends que Thomas est en CM2, comme moi, et qu'Arthur est au collège en cinquième. Qu'est-ce qu'ils sont gentils, même que Thomas m'appelle « son nouveau cousin ». Ça me fait bizarre, mais j'aime bien. Et les parents de Joseph m'ont proposé de les appeler mamie Mado et papi Jules. Mamie Mado s'inquiète de savoir si je mange assez et si le déjeuner est à mon goût, et papi Jules me pose plein de questions. Il veut savoir si je me plais dans ma nouvelle famille d'accueil, si j'aime l'école, si je fais du sport.

— Ta maman nous a beaucoup parlé de toi, ajoute-t-il.

— Ah bon ?

Je suis surpris et content de l'entendre me dire
ça. Ça veut peut-être dire qu'elle pense à moi plus
que je ne le croyais.

Après le déjeuner, tandis que Joseph emmène
maman en voiture pour lui donner une leçon de
conduite, je pars avec Arthur et Thomas. Je passe
un après-midi formidable. En plus, il fait beau.
On ramasse des champignons – ils sont drôlement
calés pour savoir ceux qui sont bons à manger ! –,
on fait des courses de vélo et je les aide à faire la
cabane qu'ils ont commencé à construire. Vers
quatre heures, on rentre pour goûter, puis mes nouveaux cousins me montrent le poulailler qui est
derrière la maison. On ramasse huit œufs ! Juste
à côté, il y a six énormes lapins et une maman
lapine avec cinq petits, trop mignons ! Ensuite, on
va retrouver les adultes. Joseph et son frère nous
proposent de faire une partie de football. Mais il
manque un joueur : Joseph demande à ma mère de
se joindre à nous, ce qu'elle finit par accepter après

s'être beaucoup fait prier. Elle joue comme une patate, mais on s'amuse beaucoup.

La journée file à toute allure. Le soir, je suis crevé, mais tellement heureux ! Je voudrais que tous les jours de ma vie ressemblent à celui-là. Et déjà, je n'ai plus qu'une envie : faire partie de cette famille.

À la fin du dîner, lorsque tout le monde commence à se lever de table, ma mère vient s'asseoir près de moi. On s'est à peine vus aujourd'hui !

– Tout va bien, mon lapin ? me demande-t-elle. Tu te plais ici ?

– Oh oui !

– Moi aussi, tu sais. Ils sont tous adorables.

Soudain, je me rends compte qu'elle aussi n'a jamais eu de famille. Pire, puisqu'elle n'a même pas connu sa mère ! C'est peut-être pour ça qu'elle ne se débrouille pas trop bien avec un enfant : elle n'a pas appris ! Personne ne lui a montré ! Je suis satisfait de mon explication et je me trouve assez fort pour comprendre la vie.

Brusquement, je lui pose la question qui me préoccupe :

– Dis, pourquoi on ne se voit presque jamais, maman ?

Elle me regarde, surprise. Elle prend le temps de réfléchir avant de me demander :

– Je te manque, mon lapin ?

– Ben oui !

– Je suis désolée, murmure-t-elle en m'embrassant. Mais la vie est compliquée parfois. Je travaille beaucoup, même les week-ends, pour m'en sortir. Mais maintenant qu'il y a Joseph, ça va aller beaucoup mieux, tu verras. Je suis heureuse avec lui et je le serai mille fois plus quand tu seras avec nous... Et puis, regarde, on va avoir une belle-famille, tu ne trouves pas que c'est formidable ?

Soudain, il me vient une question que je ne m'étais pas encore posée :

– Et je vais avoir un petit frère ou une petite sœur ?

– J'espère bien !

Je ne sais plus quoi dire. J'en ai si souvent rêvé, mais je n'aurais pas pensé que cela pourrait m'arriver en vrai.

– Ça te ferait plaisir ?

– C'est trop bien !

– Ah ! vous êtes là ! Je vous cherchais, nous interrompt Joseph. Venez vite dans le salon, nous allons faire un jeu tous ensemble !

Nous jouons aux Ambassadeurs. Je ne connaissais pas ce jeu, avant. C'est génial et en plus c'est très drôle. Il faut faire deviner un mot, un métier ou un nom célèbre à son équipe en le mimant. Joseph est très fort à ce jeu et on n'arrête pas d'avoir des fous rires. Puis, vient l'heure d'aller se coucher. Je monte avec Thomas et Arthur dans le grenier où est aménagé un dortoir. Manon dort déjà. Confortablement installés dans nos lits, on discute en chuchotant pendant une bonne demi-heure avant de nous endormir.

18

Le lendemain, je suis réveillé par la lumière qui passe par les lucarnes du grenier. Je reste dans mon lit, car je n'ose pas bouger tant que Thomas et Arthur dorment encore. Je suis trop timide pour descendre prendre mon petit-déjeuner sans eux.

Je réfléchis à tous ces changements qu'il y a dans ma vie. Maintenant que je connais un peu Joseph – il est vraiment gentil –, j'ai envie d'aller habiter avec ma mère et lui, et de faire partie de sa famille.

Parce que cette famille, je la trouve très bleue, et cette couleur est devenue ma préférée ! Mais, d'un autre côté, j'aimerais rester dans ma nouvelle école, avec ma maîtresse et mes copains. Et je ne veux pas être séparé de Monique et Jean-Mi, sans parler de Caroline, Antoine et Amélie. Je les aime trop ! Si on m'avait dit, il y a peu de temps encore, que je me retrouverais avec deux familles que j'aime, je ne l'aurais jamais cru ! Je ne peux pas me couper en deux !

Thomas et Arthur se réveillent enfin. Vite, on s'habille et on descend prendre notre petit-déjeuner.

Mamie Mado est dans la cuisine. Elle nettoie les beaux champignons que nous avons ramassés hier. Thomas et Arthur l'embrassent avant de s'asseoir pour manger. Moi, je n'ose pas aller vers elle, car ce n'est pas ma grand-mère. Je lance juste un bon-jour timide.

– Et toi, Lulu ? dit-elle. Tu ne m'embrasses pas ?

– Oh si !

Je me dépêche de lui faire une bise sur les deux joues.

– Bonjour les enfants ! lance papi Jules en entrant dans la cuisine. Dès que vous aurez fini votre petit-déjeuner, vous allez m'aider à rentrer du bois. Et après, je vous emmène dans le pré du père Guillemain pour monter Carotte. Ça vous va comme programme ?

– Génial ! Super ! s'exclament Arthur et Thomas.

– Carotte ? Qu'est-ce que c'est ? je leur demande.

– C'est le poney du voisin, un copain de papi Jules, répond Thomas. Il nous laisse faire des tours dessus.

J'ai hâte de tout raconter à Monique et Jean-Mi, ils vont être baba !

Je passe encore une journée géniale et l'heure de partir arrive trop vite.

– J'espère que tu reviendras bientôt, me dit mamie Mado lorsque je lui dis au revoir. Toi et ta maman, vous serez toujours les bienvenus.

Ça me fait tellement plaisir qu'elle me dise une chose pareille !

Sur le chemin du retour, ma mère m'annonce que Joseph et elle vont commencer sérieusement les recherches pour l'appartement dès la semaine prochaine.

– Jusqu'à présent, ajoute-t-elle, on ne s'en était pas encore occupés parce qu'on n'avait pas encore assez de sous pour le déménagement. Mais papi Jules a promis de nous aider, alors on peut se lancer ! Ce n'est pas une bonne nouvelle, mon lapin ?

– Oui, oui.

À l'intérieur de moi, tout s'affole. Ça va trop vite. Je ne sais plus où j'en suis. Mon cœur est coupé en deux. D'un côté il y a maman, Joseph et une vie inconnue, et d'un autre côté, il y a Monique, Jean-Mi, Antoine, Caroline, Amélie, mon école et mes copains. Je voudrais pouvoir vivre deux vies en même temps !

Ils me déposent chez Monique et Jean-Mi pile à l'heure du dîner.

– Je te tiens au courant pour l'appartement dès que j'ai des nouvelles, me dit ma mère en m'embrassant.

Je tends la main à Joseph pour lui dire au revoir, mais il se penche vers moi pour m'embrasser aussi.

– Salut, mon gars. Passe une bonne semaine. À très vite !

Monique a fait son soufflé au fromage pour le dîner, exprès pour moi. Elle sait à quel point j'adore ça ! C'est drôlement gentil de sa part de penser à moi.

Je meurs d'envie de leur raconter à tous quel merveilleux week-end j'ai passé, mais je remarque la tête de Caroline : elle a eu droit à un sale dimanche avec son père. Je préfère me taire de peur de lui faire plus de peine.

– Tout s'est bien passé, Lulu? me demande Monique.

– Oui, très bien.

Puis, je glisse juste à l'oreille de Jean-Mi:

– Ton ami a raison de dire que Joseph est gentil! C'était super!

– Je suis content pour toi, mon grand, répond-il ravi.

19

Toute la semaine qui suit, je repense au super week-end chez papi Jules et mamie Mado. Mais plus les jours passent, plus j'ai l'impression que ce n'était qu'un rêve. Trop beau pour être vrai ! Dans la réalité, ce n'est jamais aussi bien. Un bonheur pareil, je n'y suis pas habitué. J'ai peur que ma mère ne m'annonce une catastrophe : elle se sépare de Joseph, on ne pourra plus retourner à la campagne et on ne pourra jamais faire partie de cette famille ! J'ai l'habitude des catastrophes.

Cette joie d'être entouré d'une famille ne sera sans doute jamais pour moi... Me voilà maintenant en train d'espérer de tout mon cœur que ma mère se marie avec Joseph. Dans mes rêves les plus fous, j'imagine même que Joseph va m'adopter et que je vais porter son nom ! Je me vois déjà en train de dire : « ma mère et mon père » ! Je rêve, je rêve, et puis soudain je pense à Monique et à Jean-Mi, et à mes nouveaux amis. Je ne veux pas être séparé d'eux. Mon copain Aurélien va bientôt vivre moitié chez sa mère et moitié chez son père ; l'idéal pour moi serait d'habiter une semaine chez ma mère et Joseph, et une semaine chez Monique et Jean-Mi. Mais c'est impossible, je le sais. J'ai vécu longtemps dans des familles que je n'aimais pas et là, tout à coup, alors que je suis enfin bien quelque part, ma mère a décidé de me prendre avec elle ! Le bonheur est tout près de moi, mais je ne peux pas l'attraper ! Pour la première fois, on me le montre et en même temps on me dit : « Ce n'est pas pour toi. » Rien que d'y penser, j'ai la tête qui tourne et j'ai mal au ventre.

Chaque fois que le téléphone sonne, j'ai envie et j'ai peur que ce ne soit ma mère. Va-t-elle m'annoncer une catastrophe ou me dire qu'elle a trouvé un appartement ?

Le vendredi, enfin, c'est elle ! Avant même de lui dire bonjour, je lui demande si elle a trouvé.

– Trouvé quoi ?

– Ben, l'appartement !

– Oh là là, non, mon lapin, j'ai à peine commencé à regarder les annonces ! Je n'ai pas eu une seconde à moi cette semaine. J'appelais juste pour savoir si tout allait bien et je voulais te dire que je ne pourrai pas te voir ce week-end. Je dois travailler.

Même si je suis un peu déçu, je suis soulagé... Pas de catastrophe !

– Ce n'est pas grave. On va aller à la pêche avec Jean-Mi et Monique, et on fera un pique-nique. Dis, on retournera chez mamie Mado et papi Jules ?

– Oui, c'est promis. Joseph m'a dit qu'ils t'ont a-do-ré! Thomas et Arthur te réclament!

Bonne nouvelle! Du coup, je suis de bonne humeur tout le week-end! Dimanche, on part, Monique, Jean-Mi, Antoine, Caroline, Amélie et moi, passer la journée au bord d'une rivière. Jean-Mi m'apprend à pêcher. Je dois enfiler de minuscules bestioles au bout de mon hameçon et lancer ma ligne le plus loin possible dans l'eau. Je réussis à attraper trois petits gardons, un de plus que Caroline. C'est beaucoup moins que Jean-Mi et Antoine qui sont très forts, mais je suis quand même fier de moi. Le soir, au dîner, nous mangeons notre pêche que Monique a préparée. Je ne raffole pas du poisson, mais ça fait plaisir de manger ceux qu'on a soi-même attrapés. C'était vraiment une belle journée.

20

À l'école, à part ce casse-pieds de Charles qui adore m'embêter, tout va bien. J'ai de plus en plus de bonnes notes, et Mlle Berthier est contente de mes progrès. Avec Benjamin, Caroline, Aurélien et Stéphanie, j'ai trouvé des amis que je voudrais garder toute la vie.

La maîtresse nous a distribué nos dossiers à remplir pour notre entrée au collège. L'établissement où on doit aller dépend de l'endroit où on habite. Benjamin, Caroline et Stéphanie, ainsi que la plus

grande partie de la classe, savent qu'ils iront au
collège Rosa Parks qui est situé à dix minutes à
pied de chez Monique et Jean-Mi. Mais Aurélien,
qui ne sait toujours pas où ses parents vont habiter
après leur divorce, se pose la même question que
moi : qu'est-ce qu'il va devenir ? Pourvu que ma
mère ne décide pas d'emménager de l'autre côté
de la ville ! Je suis désespéré à cette idée. Le soir,
j'en parle à Monique et Jean-Mi. Je leur dis que
je serais trop malheureux d'aller dans un autre
collège que mes amis et que j'ai peur de ne plus
jamais les voir le jour où ma mère m'emmènera
avec elle.

— Nous aussi on t'aime beaucoup, Lulu, me dit
Jean-Mi. Et ça nous ferait de la peine de ne plus te
voir. Mais ne t'inquiète pas. Il y a une solution à
tout et on la trouvera.

Jean-Mi a l'air si sûr de lui que ça me réconforte
un peu. Je m'endors plus tranquille.

Deux familles pour Lulu

Quelques jours plus tard, Aurélien arrive à l'école avec une bonne nouvelle: ses parents ont chacun trouvé un appartement dans le même quartier, près du collège Rosa Parks. La chance! Je suis heureux pour lui, mais en même temps je suis triste car, maintenant, je suis le seul à ne pas savoir ce qui va m'arriver. À quoi Jean-Mi pensait-il lorsqu'il a dit: «Il y a une solution à tout»? Je ne vois pas du tout. J'en ai assez d'être un enfant et de ne pas décider de ma vie. J'en ai assez d'être comme un paquet que les adultes peuvent prendre ou laisser sans me demander mon avis! Je suis à la fois en colère, découragé et inquiet.

21

Un week-end de plus où je ne vois pas ma mère car elle travaille. Dimanche, je suis encore plus triste que cette pluie qui n'arrête pas de tomber. Je n'arrive pas à lire tellement je suis angoissé. Aucun jeu ne me fait envie et la télé m'ennuie. Quand je ne reste pas des heures devant la fenêtre de ma chambre à regarder la rue mouillée où il ne passe presque personne, je tourne en rond dans la maison, sans but. Je ne vais pas voir Jean-Mi qui bricole sa moto dans le garage et je n'ai même pas envie de papoter avec Caroline. J'ai des nœuds dans la tête et l'estomac à l'envers à force de me poser des questions sur mon avenir.

Le soir, dans mon lit, lorsqu'on éteint la lumière et que je me retrouve dans le noir, je me sens horriblement seul. J'ai la gorge serrée. Le chagrin monte, monte, et mes larmes coulent. Je pleure en silence car je ne veux pas qu'Antoine m'entende.

Une nouvelle semaine commence, et je n'ai toujours pas le moral. J'ai du mal à rire aux blagues des copains et Mlle Berthier me reproche d'être dans la lune.

Le jeudi, en arrivant à la maison après l'école, une sacrée surprise m'attend : ma mère est dans le salon. Elle discute avec Monique et Jean-Mi.

– Entre et viens avec nous mon grand, m'invite Jean-Mi. On parlait de toi, justement.

Deux familles pour Lulu

Je pose mon cartable, j'embrasse ma mère et je m'assieds sur le canapé à côté d'elle avec un pincement au ventre. Ils ont des têtes sérieuses. Mon cœur bat à toute vitesse. J'ai peur de ce qu'ils vont m'annoncer.

– Monique et Jean-Mi m'ont dit que tu te faisais beaucoup de soucis, mon lapin, commence ma mère. Si j'avais su, je serais venue plus tôt pour parler de tout ça. La prochaine fois que tu te fais de la bile, tu dois absolument me le dire et ne pas ruminer tout seul dans ton coin ! Mais bon, le plus important, ajoute-t-elle avec un grand sourire, c'est qu'on a trouvé une solution à tes problèmes. Je crois que tu vas être très content !

Et là, tour à tour, ma mère, Jean-Mi et Monique m'expliquent comment ma vie sera organisée.

– Si tu es d'accord, bien sûr ! précise Jean-Mi.

Au fur et à mesure que je les écoute, mon regard va de l'un à l'autre. Je n'en crois pas mes oreilles ! Mon rêve va se réaliser !

– C'est vrai, maman? Tu me promets que ça va se passer comme ça? Vous n'allez pas changer d'avis?

– Promis, mon lapin.

Épilogue

Quelques mois plus tard...

Le juge a donné son accord. Je suis parti vivre avec ma mère qui a tenu toutes ses promesses. Joseph et elle ont trouvé un appartement à quelques rues de chez Monique et Jean-Mi. C'est petit, mais j'ai une chambre rien que pour moi. Je suis passé en sixième avec les félicitations du directeur, et je suis entré au collège Rosa Parks avec Caroline, Benjamin, Aurélien et Stéphanie. Je suis sûr maintenant qu'ils resteront mes amis pour la vie.

Chaque soir et chaque mercredi après-midi, après les cours, je vais chez Monique et Jean-Mi. Comme ça, je ne suis pas tout seul chez nous à attendre mes parents.

Ma mère a changé de travail et, le soir, elle est à la maison. De temps en temps, Joseph m'emmène dans son garage où il m'apprend plein de trucs sur les voitures. Il s'occupe bien de moi, et il est toujours très gentil.

Pendant les vacances d'été, je suis allé trois semaines à Saint-Jean-de-Monts avec Monique, Jean-Mi, Caroline, Antoine et Amélie, puis deux semaines chez papi Jules et mamie Mado où j'ai retrouvé mes nouveaux cousins, Arthur et Thomas.

C'étaient les plus belles vacances de toute ma vie !

Et hier, Maman et Joseph m'ont annoncé une grande nouvelle : je vais avoir un petit frère ou une petite sœur !

Deux familles pour Lulu

Quelquefois, il m'arrive de penser à ma vie d'avant : je me dis alors que j'ai eu raison de rêver à la famille idéale. Le bonheur, ça peut vraiment arriver !

Cet ouvrage a été mis en pages
par DV Arts Graphiques à La Rochelle

Imprimé par Black Print CPI (Barcelona)
en février 2014

pour le compte des Éditions Bayard

Imprimé en Espagne
N° d'impression : 0000